ESTADO DE EXCEÇÃO:
A FORMA JURÍDICA DO NEOLIBERALISMO

CONTRACORRENTE

RAFAEL VALIM

ESTADO DE EXCEÇÃO: A FORMA JURÍDICA DO NEOLIBERALISMO

3ª Reimpressão

São Paulo

2018

Copyright © **EDITORA CONTRACORRENTE**

Rua Dr. Cândido Espinheira, 560 | 3º andar
São Paulo – SP – Brasil | CEP 05004 000
www.editoracontracorrente.com.br
contato@editoracontracorrente.com.br

Editores

Camila Almeida Janela Valim
Gustavo Marinho de Carvalho
Rafael Valim

Conselho Editorial

Alysson Leandro Mascaro
(Universidade de São Paulo – SP)

Augusto Neves Dal Pozzo
(Pontifícia Universidade Católica de São Paulo – PUC/SP)

Daniel Wunder Hachem
(Universidade Federal do Paraná – UFPR)

Emerson Gabardo
(Universidade Federal do Paraná – UFPR)

Gilberto Bercovici
(Universidade de São Paulo – USP)

Heleno Taveira Torres
(Universidade de São Paulo – USP)

Jaime Rodríguez-Arana Muñoz
(Universidade de La Coruña – Espanha)

Pablo Ángel Gutiérrez Colantuono
(Universidade Nacional de Comahue – Argentina)

Pedro Serrano
(Pontifícia Universidade Católica de São Paulo – PUC/SP)

Silvio Luís Ferreira da Rocha
(Pontifícia Universidade Católica de São Paulo – PUC/SP)

Equipe editorial

Carolina Ressurreição (revisão)
Denise Dearo (design gráfico)
Mariela Santos Valim (capa)

Dados Internacionais de Catalogação na Publicação (CIP)
(Ficha Catalográfica elaborada pela Editora Contracorrente)

V172	VALIM, Rafael. Estado de exceção: a forma jurídica do neoliberalismo	Rafael Valim – São Paulo: Editora Contracorrente, 2017. ISBN: 978-85-69220-28-2 Inclui bibliografia 1. Estado de exceção. 2. Direito Público. 3. Neoliberalismo. 4. Política. I. Título.

CDU – 342.5

Impresso no Brasil
Printed in Brazil

Aos amigos e companheiros de resistência democrática

Cristiano Zanin Martins
Eugênio Aragão
Gabriel Ciríaco Lira
Gilberto Bercovici
Gustavo Marinho de Carvalho
Jessé Souza
Luís Nassif
Luiz Gonzaga Belluzzo
Pablo Ángel Gutiérrez Colantuono
Pedro Serrano
Roberto Teixeira
Sérgio Lirio
Silvio Luís Ferreira da Rocha
Valeska Teixeira Zanin Martins

sumário

PREFÁCIO – PROF. JESSÉ SOUZA   9

APRESENTAÇÃO   13

INTRODUÇÃO   15

1. ESTADO DE EXCEÇÃO: APROXIMAÇÃO TEÓRICA E LOCALIZAÇÃO SISTEMÁTICA   17

2. ESTADO DE EXCEÇÃO: SIGNO DO FRACASSO DO ATUAL MODELO DEMOCRÁTICO   25

3. O CASO BRASILEIRO: EXEMPLO PARADIGMÁTICO DE ESTADO DE EXCEÇÃO   39

4. HÁ ALGUMA ALTERNATIVA NO HORIZONTE?   53

REFERÊNCIAS BIBLIOGRÁFICAS   57

prefácio

O professor e pesquisador Rafael Valim faz parte de uma brilhante geração de juristas brasileiros, juntamente com Pedro Serrano, Gilberto Bercovici, Eugênio Aragão, dentre outros que não tenho espaço de nomear aqui, que desempenham hoje notável função pública de defesa da democracia e do Estado de Direito entre nós. Eles lograram construir um contraponto fundamental ao atual desmonte do Estado de direito no nosso país, e foram, em boa parte, responsáveis pelo fracasso do processo de legitimação jurídica e política do golpe. O golpe existe e produz efeitos, mas sua legitimidade e aprovação popular é decrescente. Um golpe levado a cabo precisamente por uma "casta jurídica", apartada do país real, que reina absoluta no poder judiciário brasileiro. Um poder judiciário que, juntamente com a grande mídia, são os operadores reais do "golpe institucional" que se implantou no Brasil em maio de 2016.

Mas seria ingênuo imaginar que o poder judiciário comanda o processo golpista. Ele, na realidade, é o operador menor que "suja as mãos", juntamente com a grande imprensa que perde credibilidade de forma crescente, em nome da "elite do dinheiro", ou seja, a elite do capital financeiro, a fração hoje dominante da classe dos proprietários. Foi um golpe articulado para que os interesses dos proprietários possam agora ser impostos a toque de caixa por um parlamento venal, medíocre e subserviente. Os interesses econômicos do 1% mais rico que se impõem agora sem peias sobre os interesses vitais dos 99% restantes e indefesos. A economia "compra" a política e ameaça desmontar por meio de suas próprias instituições o Estado de direito democrático.

É esse processo que o inteligente e tempestivo texto de Rafael Valim disseca com lucidez, sem se perder nas aparências. Valim percebe claramente o estado de exceção, hoje vigente entre nós, como uma expressão de um processo global de redefinição da noção prática de representação e soberania popular. O regime de exceção corrói por dentro, ao modo do cupim com a madeira, o vínculo entre o mandato popular e a legitimidade da dominação política. Permanece a "casca", a legalidade constitucional como letra morta, que passa a ser regida por atos sucessivos de agressão a esta mesma legalidade. A assim chamada "Operação Lava Jato" é um perfeito exemplo, analisado no presente texto, desse processo. O ataque sucessivo a todos os tipos de garantias individuais e ao próprio processo legal é legitimado pelo Tribunal que deveria defender a constituição. Também o próprio exemplo do "golpe institucional" de 2016, que Valim traz à baila, quando o processo jurídico do golpe se apropriou das formalidades exteriores do processo legal para colonizar o sentido de crime de responsabilidade, mostra à perfeição a nova realidade.

Ainda que esse processo seja universal, seus efeitos são muito díspares entre os países do centro e da periferia. Como diz Wolfgang Streeck, o capital financeiro tende a incorporar uma espécie de "segunda soberania", infensa aos controles democráticos em todo lugar. Um de seus principais mecanismos é a dívida pública. Atender ao serviço da dívida passa a estar acima da noção de representação política. O "mercado" em abstrato passa a determinar, em grande medida, a política econômica antes privilégio do Estado soberano. A demanda pela "independência" do Banco Central nada mais é que a demanda por sua dependência ao capital financeiro internacional.

Entre nós, no entanto, esse controle do mercado sobre a política é ainda muito maior. Ele não se apropria apenas do orçamento público, mas também compromete o acesso a riquezas nacionais que passam a ser geridas como espólio para a rapina internacional. Em suma, o ataque do capital financeiro global é muito mais virulento aqui que nos países de democracia mais sólida. Isso tudo gerido por operadores jurídicos, entre confusos ou mal-intencionados pela farsa da "corrupção seletiva", que passam a operar, objetivamente, como advogados do capitalismo financeiro internacional. Quer se tenha ou não consciência prática disso, o resultado objetivo – que é o que importa na vida – é que nosso Poder Judiciário, pago por todos nós, funciona como advogado de interesses que espoliam a nação e roubam seu futuro.

Daí que a reflexão que Valim nos propõe seja tão decisiva. Em meio à crescente insegurança econômica, política e jurídica que o país atravessa nos últimos anos, a tarefa ao mesmo tempo mais importante e mais difícil é fazer com que a reflexão crítica acompanhe a velocidade dos fatos. Esse é o grande mérito do presente trabalho.

Jessé Souza

Professor Titular de Ciência Política
na Universidade Federal Fluminense

apresentação

Embora venhamos refletindo sobre o estado de exceção há alguns anos, sobretudo em função do diálogo constante com o Prof. Pedro Serrano, reconhecido especialista no tema, a elaboração deste ensaio foi motivada por um honroso convite formulado pelo Prof. Javier García Oliva, ilustre publicista vinculado às Universidades de Manchester e Oxford, para que dissertássemos, dentro das atividades do *Centre for Regulation and Governance and Public Law* da Universidade de Manchester, sobre o tema "Brazil: the state of exception in contemporary constitutionalism".

As instigantes observações dos professores presentes à exposição, notadamente do Prof. Christopher Thornhill, enriqueceram os nossos pontos de vista sobre o assunto e, ao mesmo tempo, comprovaram a lamentável atualidade e universalidade do fenômeno da exceção.

Não menos lamentável é assistir à comprovação diária das teses lançadas nesta obra. O Brasil está à deriva. A generalizada deslealdade à Constituição, desde o Supremo Tribunal Federal até o mais subalterno dos agentes públicos, abre caminho para o autoritarismo e interrompe, mais uma vez, o processo de construção de uma sociedade *verdadeiramente* democrática.

Resta-nos resistir. Como pontificou Salvador Allende em seu histórico discurso no Palácio La Moneda, *"la historia es nuestra y la hacen los pueblos"*.

Por fim, não podemos deixar de agradecer às Professoras Marie Goupy e Martine Valois e aos Professores Gilberto Bercovici, Silvio Luís Ferreira da Rocha e Alysson Leandro Mascaro pela leitura atenta do texto que ora submetemos à consideração da prezada leitora e do prezado leitor.

São Paulo, 10 de maio de 2017

Rafael Valim

introdução

A expressão "estado de exceção", não obstante a complexidade do fenômeno que recobre e as severas críticas que tem sofrido há décadas, goza de um sucesso inconteste nos meios de comunicação, nos movimentos sociais, nos debates políticos e até mesmo no universo acadêmico.

Nos Estados Unidos e na Europa, notadamente a partir de 11 de setembro de 2001, a noção foi amplamente disseminada para explicar a adoção, a título de combater o terrorismo, de medidas de emergência francamente atentatórias aos direitos fundamentais e áreas de "não-direito", de que é exemplo eloquente Guantánamo.[1]

No universo latino-americano, por sua vez, a exceção se prestou ao esclarecimento de diversas

---

[1] MONIZ BANDEIRA, Luiz Alberto. *A desordem mundial*: o espectro da total dominação. 3ª ed. Rio de Janeiro: Civilização Brasileira, 2017, p. 75 ss.

realidades, entre as quais podemos citar as providências do Estado colombiano para enfrentar organizações paramilitares[2], as medidas de emergência econômica na Argentina durante a década de 90 do século passado[3] e, mais recentemente, decisões judiciais, de natureza reconhecidamente excepcional, proferidas por autoridades judiciárias brasileiras a pretexto de "combater" a corrupção, a que se tem denominado "estado de exceção judicial".

O que há de comum em fenômenos aparentemente tão heterogêneos? Como justificar a conversão desta noção em uma das principais chaves de compreensão do Direito e da Política contemporâneos? É possível cogitar-se, na atualidade, da instauração de um estado de exceção no Brasil? Há alternativa à exceção ou estamos condenados a uma "exceção permanente"?

Estas são algumas das perguntas sobre as quais pretendemos nos debruçar e, ao menos, acenar para possíveis respostas.

---

[2] GAMBOA, Jaime Orlando Santofímio. *El concepto de convencionalidad:* vicisitudes para su construcción sustancial en el sistema interamericano de Derechos Humanos. Ideas fuerza rectoras. Investigação pós-doutoral. Universidade Carlos III de Madri, 2016.

[3] BIANCHI, Alberto. "Dinámica del Estado de Derecho: la seguridad jurídica ante las emergencias". Buenos Aires: Ábaco, 1996; NEGRETTO, Gabriel L. *El problema de la emergencia en el sistema constitucional.* Buenos Aires: Editorial Ábaco, 1994.

1
estado de exceção: aproximação teórica e localização sistemática

A aproximação teórica ao tema da exceção apresenta sérios obstáculos, quais sejam: a incerteza terminológica e a indisfarçável polissemia da expressão "estado de exceção".

É comum a confusão entre os significados que a exceção assume nos diversos domínios do conhecimento, o que, naturalmente, dificulta ainda mais o seu exame. Assim, a título ilustrativo, François Saint-Bonnet alude à duas acepções do vocábulo "exceção": a primeira, por ele denominada "clássica", consistiria no momento durante o qual as regras jurídicas, previstas para períodos de *calma*, são transgredidas ou suspensas para o enfrentamento de um determinado *perigo*. Já a segunda, cujo grande representante seria Giorgio Agamben, apontaria para uma modificação profunda de certos sistemas jurídicos diante de perigos duráveis como o terrorismo.[4] Em seguida, porém, o teórico francês descarta este segundo sentido sob o argumento de que a ideia de um "estado de exceção permanente" constituiria uma contradição em termos, na medida em que as exceções se tornaram regras.

Observe-se, entretanto, que ambas as acepções estão corretas, desde que respeitados os respectivos pontos de partida. A exceção objeto de análise de François Saint-Bonnet está em um plano de linguagem distinto daquele adotado por Giorgio Agamben, cujo propósito é compreender a exceção em termos mais amplos, como um novo paradigma de governo.

Como já tivemos a oportunidade de registar em trabalho anterior[5], para fugir destas armadilhas do

---

[4] SAINT-BONNET, François. "L'état d'exception et la qualification juridique". *Cahiers de la recherche sur les droits fondamentaux*, n. 6, p. 29.

[5] *O princípio da segurança jurídica no Direito Administrativo brasileiro.* São Paulo: Malheiros, 2010, p. 23.

discurso é fundamental uma *complementariedade consequente* dos pontos de vista sobre o objeto de estudo, de modo a evitar tanto abordagens sincréticas quanto reducionistas.

Com efeito, o tema da exceção, embora, obviamente, permita, à moda de qualquer objeto de estudo, diferentes recortes epistemológicos, reclama, para ser integralmente compreendido, a articulação de diversas áreas do conhecimento. Em outras palavras, à complexidade do fenômeno corresponde a largueza dos conhecimentos exigidos para apreendê-lo.

Convém, de logo, explicitar alguns significados atribuídos à locução "estado de exceção".

A *Teoria Geral do Direito* há muito lida com a possibilidade de desaplicação de uma norma jurídica no caso concreto, verificadas determinadas circunstâncias, a que confere o nome, modernamente, de *derrotabilidade normativa*.[6] Não se trata de um problema de indeterminação normativa, ou seja, de dúvida sobre o alcance da norma jurídica, mas sim de um *desacordo* entre a finalidade da norma jurídica e o resultado decorrente de sua aplicação a uma *específica*

---

[6] CARPENTIER, Mathieu. *Norme et exception:* essai sur la défaisabilité en droit. LGDJ, 2014; GUASTINI, Riccardo. *Nuevos estudios sobre la interpretación*. Bogotá: Universidad Externado de Colombia, 2010, pp. 181-208.

situação fática. Nas palavras de Riccardo Guastini, assim como a beleza não está nas coisas, e sim nos olhos de quem as observa, a derrotabilidade não está nas normas, mas nas atitudes dos intérpretes.[7]

No plano *dogmático-jurídico*, por sua vez, a exceção assume diversas feições. No Direito Administrativo, por exemplo, tem-se a célebre "teoria das circunstâncias excepcionais" – consagrada pelo Conselho de Estado francês no aresto *Heyriès* –, segundo a qual, em um período de crise, o poder público dispõe de poderes excepcionais a fim de assegurar a "continuidade dos serviços públicos". No Direito Constitucional – sob os rótulos mais variados: "estado de urgência", "estado de emergência", "estado de sítio", "ditadura constitucional" e "governo constitucional de crise" – a exceção é entendida como o feixe de prerrogativas, explícito ou implícito, de que se vale o Poder Executivo para enfrentar situações anômalas como uma grave instabilidade institucional ou calamidades de grandes proporções. É o que, nos termos da Constituição brasileira, conhecemos como Estado de Defesa (art. 136) e Estado de Sítio (art. 137).

Sob o ângulo *sociológico*, a exceção geralmente se presta a revelar a ambiguidade dos autoproclamados

---

[7] GUASTINI, Riccardo. *Nuevos estudios sobre la interpretación*. Bogotá: Universidad Externado de Colombia, 2010, p. 202.

Estados de Direito, dentro dos quais se instauram regimes de Terror para enormes contingentes da população. Nas palavras de Paulo Sérgio Pinheiro, "loucos, prostitutas, prisioneiros, negros, hispânicos, árabes, curdos, judeus, ianomâmis, aidéticos, homossexuais, travestis, crianças, operários irão nascer e morrer sem terem conhecido o comedimento do Leviatã".[8]

Já a *teoria política* emprega a exceção como o paradigma de governo na contemporaneidade. Aqui se verifica o uso reiterado da expressão "estado de exceção permanente", de modo a caracterizar a progressiva substituição da política por formas de controle social – *violence douce* ou violência física aberta.

Finalmente, sob o prisma filosófico, encontramos a clássica afirmação de Carl Schmitt: "soberano é quem decide sobre o estado de exceção".[9] Nela se condensam os elementos centrais do decisionismo schmittiano: soberania, decisão e exceção. O soberano seria o único capaz de tomar a decisão última, a qual tem por objeto a situação de exceção. Assim, o

---

[8] PINHEIRO, Paulo Sergio. "Estado e Terror". *In*: NOVAES, Adauto (coord.). *Ética*. São Paulo: Companhia das Letras, 2007, p. 280.

[9] SCHMITT, Carl. *Political theology:* four chapters on the concept of sovereignty. Chicago: University of Chicago Press, 2005, p. 5.

que caracterizaria a exceção, segundo o jurista alemão, seria, sobretudo, a autoridade ilimitada, a significar a total suspensão da ordem existente.[10]

A exposição, ainda que sumária, da riqueza semântica da expressão "estado de exceção" nos convida a algumas observações.

A primeira delas está ligada à constatação de que o Estado de Direito e o estado de exceção não são categorias que se repelem mutuamente. Em verdade, embora o uso sistemático da exceção possa levar à ruína o Estado de Direito, ela pressupõe o quadro de referência do Estado de Direito. Como lembra Giorgio Agamben, a exceção descende da tradição democrático-revolucionária e não do absolutismo.[11] Ademais, convém sublinhar que, em rigor, não existe *um* estado de exceção, mas sim *estados* de exceção, ou seja, *parcelas* de poder que, lícita ou ilicitamente, escapam aos limites estabelecidos pelo Estado de Direito.[12]

---

[10] Nas palavras de Carl Schmitt: "What caracterizes an exception is principally unlimited authority, which means the suspension of the entire existing order" (*Political theology:* four chapters on the concept of sovereignty. Chicago: University of Chicago Press, 2005, p. 12).

[11] AGAMBEN, Giorgio. *Estado de exceção*. 2ª ed. São Paulo: Boitempo, 2004, p. 16.

[12] BASILIEN-GAINCHE, Marie-Laure. *État de droit et états d'exception:* une conception de l'État. Paris: PUF, 2013, p. 37.

Em verdade, nisto reside a feição sórdida da exceção. Diferentemente do que ocorre em um movimento revolucionário, com a exceção não se pretende instaurar, declaradamente, uma nova ordem constitucional.[13] Ela erode, de maneira sub-reptícia, o Estado de Direito, submetendo a imperatividade das normas jurídicas ao talante do poder de turno.

A segunda observação se refere ao estatuto teórico da exceção. Diferentemente daqueles que negam a juridicidade da exceção, qualificando-a como uma realidade unicamente política, parece-nos que a *exceção sempre pertencerá ao Direito*. Para dizer o mínimo, a norma que determina a exceção nunca será autor-referencial, ou seja, jamais suspenderá a si própria.[14]

Agregue-se, entretanto, uma consideração que pode soar polêmica, mas que ocupa um lugar central neste breve ensaio. O Direito Público brasileiro, à semelhança de outros ordenamentos jurídicos, há muito consolidou conceitos e parâmetros para o

---

[13] VILANOVA, Lourival. "Teoria jurídica da revolução (anotações à margem de Kelsen)". *In*: VILANOVA, Lourival. *Escritos jurídicos e filosóficos*. vol. 1. São Paulo: Axis Mundi, 2003, pp. 283 ss.; JOSEPH, Lawrence A. *Coups d'état, revolutions and the question of legitimacy*. Londres: Wildy, Simmonds & Hill Publishing, 2016, p. 49 ss.

[14] TROPER, Michel. *Le droit et la necessité*. Paris: PUF, 2011, p. 105.

exercício de prerrogativas excepcionais, sem que, para tanto, tenha lançado mão do conceito de "estado de exceção".[15] Isso nos conduz à conclusão de que o verdadeiro préstimo da noção de estado exceção não é dogmático-jurídico, senão que de outra natureza, conforme veremos mais adiante.

---

[15] GOUPY, Marie. *L'état d'exception ou l'impussaince autoritaire de l'État à l'époque du libéralisme*. Paris: CNRS Éditions, 2016, p. 33.

2
estado de exceção: signo do fracasso do atual modelo democrático

Perpassa os aludidos significados atribuídos ao estado de exceção um conteúdo comum, traduzível na ideia de que *algumas providências estatais, fundadas em alguma anormalidade, incidem sobre uma situação de fato à revelia da solução normativa para ela prevista*. No verbo contundente de Carl Schmitt, "diferentemente da situação normal, quando o momento autônomo da decisão recua a um mínimo, a norma é destruída na exceção".[16]

Significa dizer que a exceção abala, induvidosamente, um dos pilares do Estado Democrático de Direito, qual seja, a *soberania popular*.[17] Subverte-se a concepção de que toda e qualquer autoridade – administrativa, legislativa ou judiciária – é mera mandatária do povo e, por essa razão, deve atuar nos limites da Constituição e das leis, abrindo-se um perigoso espaço para o *voluntarismo*, o que constitui, aliás, o *sentido genealógico* do estado de exceção.[18]

Como revela Jean-Claude Paye, ao se referir aos dispositivos antiterroristas, "(...) a relação sociedade/Estado é definitivamente subvertida. A sociedade civil perde toda autonomia em relação à política. A noção de soberania popular, como fonte de legitimação do Estado, torna-se obsoleta. É o poder que concede ou retira a cidadania e que legitima o social, que o faz conforme a seu modelo ou, se necessário, criminaliza-o".[19]

---

[16] *Political theology:* four chapters on the concept of sovereignty. Chicago: University of Chicago Press, 2005, p. 12.

[17] VALIM, Rafael. *O princípio da segurança jurídica no Direito Administrativo brasileiro*. São Paulo: Malheiros, 2010, p. 31.

[18] GOUPY, Marie. *L'état d'exception ou l'impussaince autoritaire de l'État à l'époque du libéralisme*. Paris: CNRS Éditions, 2016.

[19] PAYE, Jean-Claude. *La fin de l'État de droit*: la lutte antiterroriste, de l'état d'exception à la dictadure. Paris: La Dispute, 2004, p. 205.

ESTADO DE EXCEÇÃO: SIGNO DO FRACASSO...

A exceção leva ao paroxismo o déficit democrático que apontamos há alguns anos em relação ao fenômeno, lamentavelmente comum no Brasil, de leis excessivamente fluidas, por meio das quais o Poder Legislativo praticamente renuncia à sua elevada missão de estabelecer parâmetros para o exercício das funções administrativa e jurisdicional.[20]

Em outras palavras, a exceção, ao negar a lei[21], principal produto da soberania popular, toma de assalto a democracia. A pretensão de um governo *impessoal* das leis cede lugar ao governo *pessoal* dos homens. O povo é destronado em favor do soberano, o que explica a afirmação de Giorgio Agambem de que a *exceção é o absolutismo da contemporaneidade*.[22]

Nesta ordem de ideias, o estado de exceção potencializa o processo de *despolitização* de que é vítima a sociedade atual, o qual, na acertada observação de Juan Carlos Monedero, sempre abre "la puerta a la marcha atrás social".[23] O diálogo democrático é

---

[20] VALIM, Rafael. *O princípio da segurança jurídica no Direito Administrativo brasileiro*. São Paulo: Malheiros, 2010, p. 103.

[21] Aqui empregamos o termo "lei" em sentido amplo, a contemplar a Constituição e as leis ordinárias.

[22] AGAMBEN, Giorgio. *Estado de exceção*. 2ª ed. São Paulo: Boitempo, 2004.

[23] MONEDERO, Juan Carlos. *Curso urgente de política para gente decente*. Barcelona: Editora Seix Barral, 2014, p. 106.

substituído pela monologia autoritária. Não por acaso, *a economia, que sempre postula um completo afastamento da política, tem um especial apreço pela exceção.*[24]

Note-se que a despolitização operada pela exceção não se confunde com um dos traços salientes do constitucionalismo moderno de colocar a salvo da discussão pública alguns assuntos que se reputam conquistas civilizatórias irrenunciáveis[25], delimitadores do próprio espaço democrático, a que se dá o nome no Direito Constitucional brasileiro de *cláusulas pétreas*.[26] Aliás, a exceção investe inclusive contra estas conquistas, de que é exemplo eloquente o eterno retorno do tema da tortura nos debates públicos e nos pronunciamentos, cada vez mais frequentes, de líderes políticos.

Diferentemente de Carl Schmitt, pois, que via na exceção uma estratégia de radical *repolitização*

---

[24] BERCOVICI, Gilberto. *Soberania e Constituição:* para uma crítica do constitucionalismo. 2ª ed. São Paulo: Quartier Latin, 2013.

[25] VALIM, Rafael; COLANTUONO, Pablo Ángel Gutiérrez. "O enfrentamento da corrupção nos limites do Estado de Direito". *In*: ZANIN MARTINS, Cristiano; ZANIN MARTINS, Valeska Teixeira; VALIM, Rafael (coord.). *O Caso Lula:* a luta pela afirmação dos direitos fundamentais no Brasil. São Paulo: Editora Contracorrente, 2017, pp. 71/ 72.

[26] Trata-se do núcleo imodificável da Constituição Federal, circunscrito em seu art. 60, § 4º.

da ordem jurídica liberal, é de reconhecer-se que *a exceção aniquila tanto o Direito como a Política*.

Estas reflexões nos levam, irremediavelmente, à pergunta: quem é o soberano na atualidade? Seria a autoridade pública que decide sobre a exceção? Parece-nos que não.

Luigi Ferrajoli assinala, corretamente, que nas últimas décadas se produziu uma silenciosa revolução institucional. Em suas palavras, "não temos mais o governo público e político da economia, mas o governo privado e econômico da política".[27] Não são mais os governos democraticamente eleitos que gerem a vida econômica e social, em vista de interesses públicos, senão que as potências ocultas e politicamente irresponsáveis do capital financeiro.

A subalternidade da política à economia ajuda a explicar a atual crise de legitimidade dos órgãos eletivos, aos quais compete, por meio de um discurso fantasioso e, por vezes, ridículo, editar legislações francamente antissociais, mas que beneficiam o seu senhorio, o mercado. Na síntese primorosa de Luigi Ferrajoli, "somos governados, de fato, por sujeitos que não nos representam, enquanto os sujeitos que

---

[27] FERRAJOLI, Luigi. *A democracia através dos direitos:* o constitucionalismo garantista como modelo teórico e como projeto político. São Paulo: Revista dos Tribunais, 2015, p. 149.

nos representam são àqueles subalternos e impotentes diante deles".[28]

Este é o chamado *mal-estar* da democracia contemporânea.[29] Uma democracia sem povo, a serviço do mercado, e que, ao menor sinal de insurgência contra a sua atual conformação, é tomada por medidas autoritárias.[30] Como diz Joseph Stiglitz, "Os ricos não precisam do Estado de Direito; eles podem, e de facto fazem, moldar os processos económicos e políticos em seu proveito".[31]

Segundo estudo lançado pela Oxfam em 16 de janeiro de 2017, prévio ao Fórum Econômico

---

[28] FERRAJOLI, Luigi. *A democracia através dos direitos:* o constitucionalismo garantista como modelo teórico e como projeto político. São Paulo: Revista dos Tribunais, 2015, p. 149.

[29] GALLI, Carlo. *El malestar de la democracia.* Buenos Aires: Fondo de Cultura Económica, 2013.

[30] A este respeito, é oportuna a observação de Alysson Mascaro: "Por isso, não se há de pensar que o modelo político democrático seja uma regra que comporta uma eventual exceção ditatorial ou fascista. O capitalismo se estrutura necessariamente nessas polaridades, incorporando a exceção como regra. Não há experiência de superação das explorações capitalistas granjeada por meio democrático-eleitoral. Toda vez que a sociabilidade capitalista pode ser superada, mecanismos políticos antidemocráticos se apresentam e interferem nesse processo" (*Estado e forma política.* São Paulo: Boitempo, 2013, p. 88).

[31] STIGLITZ, Joseph E. *O preço da desigualdade.* Lisboa: Bertrand Editora, 2014, p. 208.

Mundial[32], o patrimônio de apenas oito homens é igual ao da metade mais pobre do mundo e 1% da humanidade controla uma riqueza equivalente à dos demais 99%. Esta é a democracia de que estamos a tratar.

Nesse sentido, *à impotência da política perante a economia deve corresponder um aumento de sua potência em relação à sociedade*. Nas palavras de Laymert Garcia dos Santos, o mercado "precisa, evidentemente, de um Estado fraco como instância de decisão e formulação de política, mas forte como organismo gestor de população e dispositivo de controle social".[33] Ou seja, a ruptura dos laços entre representantes e representados deve ser acompanhada do incremento da violência estatal e do esgarçamento, aberto ou dissimulado, do tecido constitucional.

Disso não se segue, contudo, que a economia prescinda do Estado. Ao contrário, na lúcida visão de Francisco de Oliveira, o mercado reclama um Estado *máximo* na economia e *mínimo* na política. Almeja-se, pois, uma economia sem política, sem conflito.

---

[32] Disponível em https://www.oxfam.org.br/publicacoes/uma-economia-para-os-99.

[33] GARCIA DOS SANTOS, Laymert. "Brasil contemporâneo: estado de exceção?" *In*: OLIVEIRA, Francisco de; RIZEK, Cibele Saliba (coord.). *A era da indeterminação*. São Paulo: Boitempo, 2007, p. 311.

Este quadro está inserido no que podemos chamar de *racionalidade neoliberal,* que alguns querem apresentar como uma consequência inelutável da globalização[34], mas que, em rigor, valendo-nos da terminologia foucaultiana, traduz um *dispositivo* de natureza estratégica que propugna uma sociedade individualista, altamente competitiva, cujas pulsões são falsamente satisfeitas através do consumo e cujos juízos são construídos em um ambiente marcado pela espetacularização.[35] Trata-se de um *eterno presente* que sacraliza o êxito individual e condena o fracasso, tendo como pano de fundo o embuste da "meritocracia" em sociedades profundamente desiguais. No resumo eloquente de Christian Laval e Pierre Dardot, "el cinismo, la mentira, el engaño, el desprecio de la cultura, el relajamiento en el lenguaje y los gestos, la ignorancia, la arrogancia del dinero y la brutalidad de la dominación son títulos para governar en nombre de la sola 'eficacia'".[36]

Infere-se, portanto, que o "neo" do termo "neoliberalismo" não significa simplesmente o

---

[34] AVELÃS NUNES, António José. *A crise atual do capitalismo:* capital financeiro, neoliberalismo, globalização. São Paulo, Revista dos Tribunais, 2012, p. 184.

[35] LAVAL, Christian; DARDOT, Pierre. *La nueva razón del mundo.* Barcelona: Gedisa, 2013, p. 388.

[36] LAVAL, Christian; DARDOT, Pierre. *La nueva razón del mundo.* Barcelona: Gedisa, 2013, p. 391.

ressurgimento do liberalismo econômico. O neoliberalismo transforma a democracia liberal em uma retórica vazia, sem correspondência com a realidade social. E é exatamente neste antagonismo, cada vez mais claro, entre a ordem democrática e o neoliberalismo que irrompem os estados de exceção. No dizer de Wendy Brown,

> Liberal democracy cannot be submitted to neoliberal political governmentality and survive. There is nothing in liberal democracy's basic institutions or values – from free elections, representative democracy, and individual liberties equally distributed to modest power-sharing or even more substantive political participation – that inherently meets the test of serving economic competitiveness or inherently withstands a cost-benefit analysis. [37]

A esta altura já é possível entrever quem é o *verdadeiro* soberano. Quem decide sobre a exceção atualmente é o chamado "mercado", em nome de uma elite invisível e ilocalizável; é dizer, *o soberano na contemporaneidade é o mercado*.[38]

---

[37] BROWN, Wendy. *Edgework*: critical essays on knowledge and politics. Princeton: Princeton University Press, 2005, p. 46.

[38] GARCIA DOS SANTOS, Laymert. "Brasil contemporâneo: estado de exceção?" *In*: OLIVEIRA, Francisco de; RIZEK,

Em última análise, *o estado de exceção é uma exigência do atual modelo de dominação neoliberal*. É o meio pelo qual se *neutraliza* a prática democrática e se reconfiguram, de modo silencioso, os regimes políticos em escala universal.

O silêncio que pesa sobre este fenômeno não é, por óbvio, fortuito. Em todo o mundo, grandes veículos de comunicação, mediante sofisticadas técnicas de manipulação de informação, convertem-se, na expressão de Thomas Piketty, em "aparatos de justificação"[39] da cosmovisão neoliberal.

Luiz Gonzaga Belluzzo e Gabriel Galípolo descrevem com precisão o papel desempenhado pelas grandes corporações de mídia:

Cibele Saliba (coord.). *A era da indeterminação*. São Paulo: Boitempo, 2007, p. 311.

[39] Preleciona o professor francês: "Na realidade, o caráter mais ou menos sustentável de uma desigualdade tão extrema depende não só da eficácia do aparato repressivo, mas também – e talvez sobretudo – da eficácia das diversas justificativas para ela. Se a desigualdade for percebida como justificada, por exemplo, porque os mais ricos escolheram trabalhar mais – ou de maneira mais competente – do que os mais pobres ou mesmo porque impedi-los de ganhar mais inevitavelmente prejudicaria os mais pobres, seria possível imaginar uma concentração de renda superior aos recordes históricos observados". (PIKETTY, Thomas. *O capital no século XXI*. Rio de Janeiro: Intrínseca, 2014. p. 258). Sobre o mesmo tema: MONBIOT, George. *How did we get into this mess?* Politics, equality, nature. Londres: Verso, 2016.

> Na mídia impressa e na eletrônica, as matérias de negócios e economia disseminam os fetiches dos mercados financeiros embuçados na linguagem do saber técnico e esotérico. Qual bonecos de ventríloquo, os comunicadores "falam" a língua articulada conforme as regras gramaticais dos mercados. Assim, o capitalismo investido em sua roupagem financeira cumpre a missão de 'administrar' a constelação de significantes à procura de significados, submetendo os cidadãos-espectadores aos infortúnios da domesticação e da homogeneização, decretados pelo 'coletivismo de mercado'.[40]

Tudo isto explica o fato de que a política, agora dominada pela exceção, tenha se transfigurado no binômio amigo/inimigo de que nos fala Carl Schmitt.[41] A fim de preservar o estado de coisas vigente, o Estado empreende uma guerra incessante contra um inimigo virtual, constantemente redefinido, do qual se retira, em alguns casos, a própria condição de pessoa, reduzindo-os a um outro genérico,

---

[40] BELLUZZO, Luiz Gonzaga; GALÍPOLO, Gabriel. *Manda quem pode, obedece quem tem prejuízo.* São Paulo: Editora Contracorrente, 2017, p. 81.

[41] BERCOVICI, Gilberto. *Constituição e estado de exceção permanente:* atualidade de Weimar. 2ª ed. Rio de Janeiro: Azougue Editorial, 2012, p. 44.

total, irreal.[42] Em síntese, o *mercado define os inimigos e o Estado os combate*.[43]

Desnecessário dizer que, neste contexto, o Direito Penal e o Direito Processual Penal sofrem um completo desvirtuamento, perdendo sua vocação garantista em prol da mera legitimação das pretensões autoritárias do Estado. A persecução penal se torna um jogo de cartas marcadas, com um absoluto desprezo ao direito de defesa.

Daí deriva, igualmente, o que Pedro Serrano argutamente identifica como o estado de exceção na "rotina das sociedades democráticas"[44], em convivência com as prerrogativas excepcionais previstas para situações de "defesa do Estado ou da sociedade". Não só o Poder Executivo, por intermédio de medidas de polícia administrativa, mas também o Poder Judiciário se convertem em fonte de exceção.

Vê-se, portanto, que o estado de exceção constitui uma categoria analítica decisiva para *revelar*

---

[42] LA TORRE, Massimo. "Constitucionalismo de los Antiguos y de los Modernos. Constitución y 'estado de excepción'". *Res publica*, Madrid, vol. 23, ano 13, pp. 17-35, 2010, p. 30.

[43] ZAFFARONI, E. Raúl. *O inimigo no Direito Penal*. 2ª ed. Rio de Janeiro: Revan, 2007, p. 142.

[44] SERRANO, Pedro Estevam Alves Pinto. *Autoritarismo e golpes na América Latina:* breve ensaio sobre jurisdição e exceção. São Paulo: Alameda, 2016, p. 27.

a articulação "invisível" entre fenômenos à primeira vista desconexos, mas que, em conjunto, compõem a chave de compreensão da sociedade contemporânea. A crise da capacidade regulatória do Direito, a crise do constitucionalismo, o insustentável nível de desigualdade social em todo o planeta, a despolitização das sociedades, a emergência do terrorismo, o recrudescimento do fascismo e da intolerância em todas as suas formas, a crise de legitimidade dos parlamentos, entre outros elementos, concorrem para uma *complexa trama cujo desvelamento se faz possível por meio das virtualidades heurísticas do estado de exceção*.

Passemos agora ao exame do atual cenário brasileiro, a partir do qual, lamentavelmente, poderemos comprovar, com impressionante expressividade, todas as considerações até aqui lançadas a propósito do estado de exceção.

3
o caso brasileiro: exemplo paradigmático de estado de exceção

O projeto de democracia no Brasil, a exemplo dos demais países latino-americanos, é constantemente interrompido por golpes de Estado. Após mais de vinte anos de ditadura militar (1964 a 1985), as brasileiras e os brasileiros viveram mais um curto período de *governo* eleito por vias democráticas, cujo término se deu em 31 de agosto de 2016, data em que se afastou definitivamente do cargo a Presidenta eleita Dilma Rousseff.

Nas lições de Guillermo O'Donnell, no Brasil já se instalaram *governos* democraticamente eleitos, mas ainda não se ultrapassou a "segunda transição", mais complexa e demorada, para um *regime* verdadeiramente democrático, em que compareça uma sólida sociedade democrática.[45] Persiste uma sociedade profundamente autoritária, hostil aos mais elementares avanços em termos de direitos humanos, o que, naturalmente, *explica a facilidade com que a exceção não só é assimilada, como também dissimulada em seu seio*. Nas palavras de Paulo Sérgio Pinheiro, "o autoritarismo é tão socialmente implantado que o regime de exceção tem condições de gozar, durante certos períodos, de larga capacidade de dissimulação e de ocultação de grande parte dos seus feitos, mantendo-se quase que totalmente imune à efetiva autodefesa dos cidadãos".[46]

Desta vez a democracia não foi abatida por um golpe militar, com tanques e fuzis, mas sim pelo que vem sendo chamado de um "golpe institucional", gestado e levado a efeito sob uma aparência de legalidade. Instaurou-se um processo, ouviram-se as partes e as testemunhas, elaboraram-se relatórios, mas

---

[45] "Democracia delegativa?" *Novos estudos,* São Paulo: Cebrap, n. 31, pp. 25-40, out. 1991, n. 31, p. 26.

[46] PINHEIRO, Paulo Sergio. "Estado e Terror". *In*: NOVAES, Adauto (coord.). *Ética*. São Paulo: Companhia das Letras, 2007, p. 114.

tudo não passava de uma grande farsa, um simulacro de devido processo legal encenado por parlamentares toscos e venais, sob o impulso decisivo da mídia nativa.

Apesar de nos parecer sumamente interessante, não cabe nos propósitos do presente trabalho a pormenorização da conjuntura que levou à queda da Presidenta Dilma Rousseff, tampouco os eventos que sucederam ao golpe de Estado. Limitar-nos-emos a narrar os fatos que demonstram, de maneira irretorquível, a proliferação do estado de exceção no Brasil atual.

De qualquer modo, é fundamental desde já compreender que o golpe de estado de 2016 é tão só *um* exemplo das múltiplas exceções que, se já não sepultaram por completo o combalido Estado de Direito brasileiro, estão em vias de fazê-lo. Na realidade, como restará claro, o principal e mais perigoso agente da exceção no Brasil é o Poder Judiciário.

Com efeito, a partir de novembro de 2014, com o início da chamada "Operação Lava jato", uma série de prisões cautelares de empresários e de agentes públicos, revestidas de grande espetacularização, somadas aos chamados "vazamentos seletivos" de informações, em absoluta orquestração com grandes veículos de comunicação social, criaram as condições sociais e políticas para a instauração do processo de *impeachment* e a posterior destituição da Presidenta eleita.

Além da evidente ilegalidade das prisões cautelares, fundadas, no mais das vezes, em conceitos indeterminados como "defesa da ordem pública", pouco antes da instauração do processo de *impeachment* chegou-se ao cúmulo de uma conversa da Presidenta da República ser interceptada por um juiz de primeira instância – manifestamente incompetente no caso – e, este mesmo juiz, não satisfeito com a gravíssima ilegalidade que acabara de cometer, ordenar a *divulgação* do diálogo, em claríssima violação do art. 8º da Lei n. 9.296/96, cujos termos seja-nos permitido transcrever: "a interceptação de comunicação telefônica, de qualquer natureza, ocorrerá em autos apartados, apensados aos autos do inquérito policial ou do processo criminal, preservando-se o *sigilo* das diligências, gravações e transcrições respectivas".[47] Para agravar este quadro tétrico, o Supremo Tribunal Federal reconheceu posteriormente a ilegalidade da conduta do aludido magistrado[48] – ou seja, restou configurado o cometimento de *crime*, à luz do art. 10 da mencionada Lei n. 9.296/96 –, mas nenhuma

---

[47] O art. 9º da mesma lei ainda estabelece que "a gravação que não interessar à prova será inutilizada por decisão judicial, durante o inquérito, a instrução processual ou após esta, em virtude de requerimento do Ministério Público ou da parte interessada".

[48] Medida Cautelar na Reclamação n. 23.457 – Paraná, sob relatoria do Min. Teori Zavascki. Decisão prolatada no dia 22 de março de 2016.

providência de ordem criminal ou disciplinar foi tomada contra ele até o presente momento.

Deveras, não só se deixou de punir o magistrado pelo evidente crime que praticou, senão que o Tribunal Regional Federal da 4ª Região, sob a relatoria do Desembargador Federal Rômulo Puzzollatti, consagrou explicitamente *um estado de exceção jurisdicional*, para o escárnio universal do Judiciário brasileiro[49]:

> Ora, é sabido que os processos e investigações criminais decorrentes da chamada "Operação Lava-Jato", sob a direção do magistrado representado, constituem caso inédito (único, excepcional) no direito brasileiro. Em tais condições, neles haverá situações inéditas, que escaparão ao regramento genérico, destinado aos casos comuns. Assim, tendo o levantamento do sigilo das comunicações telefônicas de investigados na referida operação servido para preservá-la das sucessivas e notórias tentativas de obstrução, por parte daqueles, garantindo-se

---

[49] P.A. N. 0003021-32.2016.4.04.8000/RS – Corte Especial. Neste caso, não se pode deixar de saudar, sob pena de grave injustiça, o eminente Desembargador Federal Rogério Favreto, único membro da Corte Especial do Tribunal Regional Federal da 4ª Região que votou pela abertura de processo disciplinar contra o Juiz Federal Sérgio Moro.

assim a futura aplicação da lei penal, é correto entender que o sigilo das comunicações telefônicas (Constituição, art. 5º, XII) pode, em casos excepcionais, ser suplantado pelo interesse geral na administração da justiça e na aplicação da lei penal. A ameaça permanente à continuidade das investigações da Operação Lava-Jato, inclusive mediante sugestões de alterações na legislação, constitui, sem dúvida, uma situação inédita, a merecer um tratamento excepcional.

A propósito, na persecução criminal deflagrada contra o Ex-Presidente Lula encontramos uma síntese eloquente das grosseiras e aberrantes inconstitucionalidades que vêm sendo cometidas em nossa atual quadra histórica no exercício da função jurisdicional.[50] Os princípios do juiz natural, da imparcialidade e da presunção de inocência vêm sendo solenemente desconsiderados, sob os olhares cúmplices da mídia e a atenção de uma turba ignara que, a cada nova arbitrariedade, destila seu ódio nas ruas e nas redes sociais. A isto se somam as graves violações às prerrogativas profissionais dos advogados do Ex-Presidente, também

---

[50] Para um exame aprofundado do caso, consultar: ZANIN MARTINS, Cristiano; ZANIN MARTINS, Valeska Teixeira; VALIM, Rafael (coord.). *O Caso Lula:* a luta pela afirmação dos direitos fundamentais no Brasil. São Paulo: Editora Contracorrente, 2017.

vítimas – para ficar com apenas um exemplo – de interceptações telefônicas ilegais.[51]

Não se imagine, contudo, que o atual estado de exceção no Brasil se circunscreva a juízes provincianos. Até mesmo a mais alta Corte do país, o Supremo Tribunal Federal, por ação ou omissão, curvou-se à exceção, conforme comprova, de maneira irrefutável, a decisão emitida no dia 17 de fevereiro de 2016, no bojo do *habeas corpus* n. 126.292, na qual se admitiu, em claríssimo contraste com o art. 5º, inc. LVII, da Constituição Federal – segundo a qual ninguém será considerado culpado *até o trânsito em julgado de sentença penal condenatória* –, a possibilidade de início da execução de sentença penal condenatória após a sua confirmação em segundo grau. Em outras palavras, o Supremo Tribunal Federal, a título de aplicar a Constituição, violou-a às escâncaras, na medida em que extraiu do texto constitucional um sentido nele não comportado.

Em outro dizer, a Constituição foi *sequestrada* pelo Supremo Tribunal Federal, o que nos faz lembrar um trecho do famoso discurso de Franklin Delano Roosevelt, ao apresentar um projeto de reforma da Suprema Corte estadunidense: "We have, therefore,

---

[51] Todos estes ilícitos levaram o Ex-Presidente Lula a formular um comunicado individual ao Comitê de Direitos Humanos da ONU.

reached the point as a nation where we must take action to save the Constitution from the Court and the Court from itself (...). We want a Supreme Court which will do justice under the Constitution and not over it".

A degradação do Poder Judiciário é tão grave que um juiz do 3º Tribunal do Júri do Estado do Rio de Janeiro, para o fim de conceder a liberdade de dois policiais militares presos em flagrante por conta do brutal homicídio de dois suspeitos feridos, invocou explicitamente em sua decisão a "voz das ruas".[52] Ou seja, não é mais a voz do povo, plasmada na Constituição Federal e nas leis, senão que uma insondável "voz das ruas", cujo conteúdo é determinado, arbitrariamente, pelos espíritos "iluminados" de determinados juízes. A propósito, não é demais recordar a advertência do Ministro Eros Grau ao Ministro Carlos Britto quando este, também afeito ao "clamor das ruas", pretendeu deslocar o julgamento de um *habeas corpus* ao Pleno do Supremo Tribunal Federal[53]: "(...) embora seja novo no Tribunal, para mim todos os casos têm repercussão idêntica. Porque o meu compromisso é aplicar o direito. O fato de a imprensa tocar ou não no assunto, a mim não incomoda. Já estou imune ao

---

[52] Autos n. 0076306-12.2017.8.19.0001. Juiz Alexandre Abrahão Dias Teixeira.

[53] Questão de ordem em habeas corpus 85.298-0 – São Paulo.

clamor público. Para mim, o que importa é o clamor da Constituição. Isso em primeiro lugar".

Ocioso observar que todas estas demonstrações de desfaçatez do Poder Judiciário são um convite ao desrespeito à ordem jurídica. Nesse sentido, testemunha-se uma aluvião de cenas explícitas de violência de agentes de segurança pública contra jornalistas, grupos vulneráveis e movimentos sociais, de que é um triste exemplo a absurda e truculenta invasão da Escola Nacional Florestan Fernandes, mantida pelo Movimento dos Trabalhos Sem Terra (MST), pela Polícia Civil do Estado de São Paulo.

É neste ambiente de completa arbitrariedade que se insere o golpe de estado de 2016.

Os motivos invocados para a deflagração do processo de impedimento foram as chamadas "pedaladas fiscais" – apelido atribuído à sistemática mora do Tesouro Nacional nos repasses de recursos ao Banco do Brasil e à Caixa Econômica Federal para que estes paguem benefícios sociais como o "Bolsa Família" e "Minha Casa, Minha Vida" – e a abertura de créditos suplementares sem autorização legal. Ambas as condutas, a teor do que dispõe a legislação brasileira, *jamais* poderiam ser consideradas *crime de responsabilidade* e, portanto, seriam de todos imprestáveis a justificar o *impeachment* do Chefe do Poder Executivo Federal.

Apesar disso, a Câmara dos Deputados admitiu a acusação contra a Presidenta da República e, em 12 de maio de 2016, o Senado, por 55 votos a 22, determinou a instauração do processo, com o consequente afastamento da Presidenta de suas funções, à luz do art. 86, § 1º, inc. II, da Constituição Federal.

A partir deste momento, assumiu, interinamente[54], o então Vice-Presidente Michel Temer, quem, de imediato, não só compôs um novo governo, mediante a substituição de Ministros e outras autoridades, como também promoveu uma aberta e despudorada campanha junto ao Senado em favor da condenação da Presidenta afastada. É dizer: a norma constitucional que determina o afastamento do Presidente da República, cujo evidente objetivo é evitar a interferência daquele no desfecho do processo, prestou-se à interferência explícita do Vice-Presidente *em prol* do impedimento.

Finalmente, em 31 de agosto de 2016, após outras tantas inconstitucionalidades e demonstrações de misoginia, consumou-se a destituição da Presidenta Dilma Rousseff.

A partir daí, o governo ilegítimo, em aliança com o Parlamento, inicia uma avassaladora estratégia

---

[54] Sobre o período de interinidade, consultar, por todos: SALGADO, Eneida Desirée. *Um diário do governo interino*. Curitiba: Íthala, 2016.

de desfiguração do modelo de Estado Social de Direito consagrado na Constituição de 1988, diante de um povo domesticado pelos grandes veículos de comunicação social, cujas verbas publicitárias cresceram exponencialmente desde a chegada dos golpistas ao poder.

Tal estratégia inclui a adoção, por meio de Emenda Constitucional (Emenda Constitucional n. 95/2016), de um programa de austeridade *seletivo*, com duração de vinte anos, em que se sacrificam as despesas sociais e se preservam as despesas com o setor financeiro; a alteração da Lei n. 13.365/2016, para o fim de extinguir a exclusividade da Petrobras como operadora do Pré-sal; a formulação de propostas de reforma da Previdência Social e da legislação trabalhista que, se aprovadas, resultarão em escandalosos retrocessos sociais; a proposta de facilitação de venda de terras a estrangeiros, com sérios riscos à soberania social.

Esta breve narração histórica nos permite identificar, com chocante clareza, os três elementos centrais do estado de exceção: o *soberano*, o *inimigo* e a *superação da normatividade*.

A agenda neoliberal imposta pelo governo ilegítimo – cujos contornos se amoldam perfeitamente à *doutrina do shock* exposta por Naomi Klein[55] –

---

[55] Afirma Naomi Klein: "(...) particularmente en países en los que la clase dirigente ha perdido su credibilidad ante el público, se

somada à devastação da indústria nacional operada pela Operação Lava Jato, apontam, univocamente, para o verdadeiro *soberano* no Brasil: o *mercado*, encarnado em uma elite que, apenas em 2015, apropriou-se, através de pagamento de juros e amortizações da dívida pública, de novecentos e sessenta e dois bilhões de reais do povo brasileiro, ou seja, quarenta e dois por cento do orçamento da União.

Já o *inimigo* está plasmado na figura do *corrupto*, a quem são negadas as mais óbvias garantias processuais enfeixadas no princípio do devido processo legal, em uma guerra que desconhece limites. Nesse contexto, o enfrentamento da corrupção, enquanto desafio fundamental das democracias contemporâneas, passa a constituir um *cavalo de troia* dentro do Estado de Direito, sendo usado em favor de interesses inconfessáveis.[56]

Na lição de Jessé Souza,

---

dice que sólo un shock político enorme y decidido puede lograr 'enseñar' al público esta dura lección" (KLEIN, Naomi. *La doctrina del shock: el auge del capitalismo del desastre*. Barcelona: Paidós, 2007, p. 118).

[56] VALIM, Rafael; COLANTUONO, Pablo Ángel Gutiérrez. O enfrentamento da corrupção nos limites do Estado de Direito. *In*: ZANIN MARTINS, Cristiano; ZANIN MARTINS, Valeska Teixeira; VALIM, Rafael (coord.). *O Caso Lula: a luta pela afirmação dos direitos fundamentais no Brasil*. São Paulo: Editora Contracorrente, 2017, pp. 74.

O CASO BRASILEIRO: EXEMPLO PARADIGMÁTICO...

> Como em toda a história republicana brasileira, o mote da corrupção é sempre usado como arma letal para o inimigo de classe da elite e de seus aliados. Isso sempre ocorre quando existem políticas que envolvam inclusão dos setores marginalizados – que implicam menor participação no orçamento dos endinheirados e aumento do salário relativo dos trabalhadores, o que também não os interessa – ou condução pelo Estado de políticas de desenvolvimento de longo prazo.[57]

Em outra passagem, Jessé Souza revela, com agudeza, a razão da configuração do corrupto como inimigo: "Como o combate à desigualdade é um valor universal, que não se pode atacar em público sem causar forte reação, tem-se que combater essa bandeira inatacável com outra bandeira inatacável".[58]

Por fim, assiste-se a um fenômeno de maciça *superação da normatividade*, especialmente por parte do Poder Judiciário, o que, sem sombra de dúvida, confere maior gravidade ao estado de exceção brasileiro, porquanto se origina, fundamentalmente, do órgão

---

[57] SOUZA, Jessé. *A radiografia do golpe*. São Paulo: LeYa, 2016, p. 112.
[58] SOUZA, Jessé. *A radiografia do golpe*. São Paulo: LeYa, 2016, p. 112.

que, em tese, seria a última fronteira de defesa da ordem constitucional. Todo o catálogo de direitos fundamentais é atingido – individuais, sociais e políticos –, em um acelerado *processo desconstituinte*.[59]

---

[59] FERRAJOLI, Luigi. *A democracia através dos direitos:* o constitucionalismo garantista como modelo teórico e como projeto político. São Paulo: Revista dos Tribunais, 2015, p. 162.

4
há alguma alternativa no horizonte?

Ao cabo destas breves reflexões, cumpre-nos perguntar se há alguma saída para a crise estrutural[60] que atravessa a sociedades contemporâneas. Apesar do desalentador quadro atual e dos falaciosos discursos deterministas que pregam o "fim da história", é

---

[60] Merecem transcrição as palavras dos Professores Luiz Gonzaga Belluzzo e Gabriel Galípolo: "Desconfiamos que o mundo não padeça apenas sofrimentos de uma crise periódica do capitalismo, mas, sim, as dores de um desarranjo nas práticas e princípios que sustentam a vida civilizada" (BELLUZZO, Luiz Gonzaga; GALÍPOLO, Gabriel. *Manda quem pode, obedece quem tem prejuízo*. São Paulo: Editora Contracorrente, 2017, p. 206).

imperioso construir um projeto de resistência à racionalidade neoliberal.[61]

Sob o aspecto *político*, impõe-se recuperar o sentido da *política* como veículo de assimilação e resolução coletiva da conflitividade social, em que o outro é visto como um *semelhante* e não como um *inimigo*. Assim, pois, deve-se substituir a lógica da *guerra*, própria da necropolítica neoliberal[62], pela lógica da *solidariedade*. No dizer de Wendy Brown, "in its barest form, this would be a vision in which justice would not center on maximizing individual wealth or rights but on developing and enhancing the capacity of citizens to share power and hence to collaboratively govern themselves". [63]

Isto implica, inelutavelmente, uma radical transformação da relação hoje existente entre economia e política. Aquela deve ser subalterna a esta, ou, em outras palavras, a economia deve servir às pessoas

---

[61] SANTOS, Milton. *Por uma outra globalização:* do pensamento único à consciência universal. 15ª ed. São Paulo: Record, 2008, p. 159; AVELÃS NUNES, António José. *A crise atual do capitalismo:* capital financeiro, neoliberalismo, globalização. São Paulo, Revista dos Tribunais, 2012, p. 184.

[62] MBEMBE, Achille. "Necropolitics". *Public Culture*, 2003, vol. 15, n. 1, pp. 11-40.

[63] BROWN, Wendy. *Edgework:* critical essays on knowledge and politics. Princeton: Princeton University Press, 2005, p. 58.

e não o contrário. Daí emergirão as condições para o enfrentamento da criminosa desigualdade social que, em rigor, inviabiliza qualquer projeto de sociedade democrática.

Malgrado a racionalidade neoliberal não se esgote na disciplina do mercado, espraiando-se para todos os domínios da vida social, parece-nos que, para confrontá-la, é decisiva esta reconquista da economia pela política.

Sob o ângulo *jurídico*, é fundamental, de um lado, *descolonizar* o conhecimento jurídico, investindo a Ciência do Direito, no léxico de Luigi Ferrajoli, de um papel *crítico e projetual*[64], em que a *descrição* do direito positivo seja acompanhada da *denúncia* dos desvios na aplicação normativa e da *proposição de estratégias* de colmatação das lacunas que impedem a plena realização da Constituição. Trata-se da *complementariedade consequente* a que fizemos alusão no início deste trabalho, a qual se traduz, ao contrário do que muitos puristas podem supor, em uma defesa intransigente do positivismo jurídico.

Com isso, serão criadas as condições para *criar* a confiança no Direito. O povo, justificadamente,

---

[64] FERRAJOLI, Luigi. *A democracia através dos direitos:* o constitucionalismo garantista como modelo teórico e como projeto político. São Paulo: Revista dos Tribunais, 2015, p. 162.

sempre desconfiou das leis, vendo nelas um instrumento de dominação habilmente manejado pelas elites, por isso se trata de *criar* e não *recuperar* a confiança no Direito.[65] É preciso levar o Direito a sério, o que significa libertá-lo dos grilhões da exceção e devolvê-lo ao povo, único titular da soberania.

---

[65] ZAFFARONI, E. Raúl. *El derecho latinoamericano en la fase superior del colonialismo*. Buenos Aires: Ediciones Madres de la Plaza de Mayo, 2016, p. 91.

referências bibliográficas

AGAMBEN, Giorgio. *Estado de exceção*. 2ª ed. São Paulo: Boitempo, 2004.

AVELÃS NUNES, António José. *A crise atual do capitalismo:* capital financeiro, neoliberalismo, globalização. São Paulo, Revista dos Tribunais, 2012.

BASILIEN-GAINCHE, Marie-Laure. *État de droit et états d'exception:* une conception de l'État. Paris: PUF, 2013.

BELLUZZO, Luiz Gonzaga; GALÍPOLO, Gabriel. *Manda quem pode, obedece quem tem prejuízo*. São Paulo: Editora Contracorrente, 2017.

BENJAMIN, Walter. *O anjo da história*. São Paulo: Autêntica, 2002.

BERCOVICI, Gilberto. *Constituição e estado de exceção permanente:* atualidade de Weimar. 2ª ed. Rio de Janeiro: Azougue Editorial, 2012.

BERCOVICI, Gilberto. *Soberania e Constituição:* para uma crítica do constitucionalismo. 2ª ed. São Paulo: Quartier Latin, 2013.

BIANCHI, Alberto. *Dinámica del Estado de Derecho*: la seguridad jurídica ante las emergencias. Buenos Aires: Ábaco, 1996.

BROWN, Wendy. *Edgework:* critical essays on knowledge and politics. Princeton: Princeton University Press, 2005.

CALVEIRO, Pilar. *Violencias de Estado:* la guerra antiterrorista y la guerra contra el crimen como medios de control global. Buenos Aires: Siglo Ventiuno Editores, 2012.

CARPENTIER, Mathieu. *Norme et exception:* essai sur la défaisabilité en droit. LGDJ, 2014.

CONSTANT, Benjamin. *Oeuvres politiques*. Paris: Charpentier et Cie., 1874.

BÖCKENFÖRDE, Ernst-Wolfgang. *Constitutional and political theory*: selected writings. Oxford: Oxford University Press, 2017.

FERRAJOLI, Luigi. *A democracia através dos direitos:* o constitucionalismo garantista como modelo teórico e como projeto político. São Paulo: Revista dos Tribunais, 2015.

GALLI, Carlo. *El malestar de la democracia*. Buenos Aires: Fondo de Cultura Económica, 2013.

REFERÊNCIAS BIBLIOGRÁFICAS

GAMBOA, Jaime Orlando Santofimio. *El concepto de convencionalidad:* vicisitudes para su construcción sustancial en el sistema interamericano de Derechos Humanos. Ideas fuerza rectoras. Investigação pós-doutoral. Universidade Carlos III de Madri, 2016.

GARAPON, Antoine. *La raison du moindre État:* le néolibéralisme et la justice. Paris: Odile Jacob, 2010.

GARCIA DOS SANTOS, Laymert. "Brasil contemporâneo: estado de exceção?". *In*: OLIVEIRA, Francisco de; RIZEK, Cibele Saliba (coord.). *A era da indeterminação*. São Paulo: Boitempo, 2007.

GOUPY, Marie. *L'état d'exception ou l'impussaince autoritaire de l'État à l'époque du libéralisme*. Paris: CNRS Éditions, 2016.

GUASTINI, Riccardo. *Nuevos estudios sobre la interpretación*. Bogotá: Universidad Externado de Colombia, 2010.

HART, Herbert L. A. *O conceito de direito*. 5ª ed. Lisboa: Fundação Calouste Gulbenkian, 2007.

JOSEPH, Lawrence A. *Coups d'état, revolutions and the question of legitimacy*. Londres: Wildy, Simmonds & Hill Publishing, 2016.

KLEIN, Naomi. *La doctrina del shock*: el auge del capitalismo del desastre. Barcelona: Paidós, 2007.

LA TORRE, Massimo. "Constitucionalismo de los Antiguos y de los Modernos. Constitución y 'estado de excepción'. *Res publica*, Madrid, vol. 23, ano 13, pp. 17-35, 2010, pp. 17-35.

LAVAL, Christian; DARDOT, Pierre. *La nueva razón del mundo*. Barcelona: Gedisa, 2013.

MASCARO, Alysson Leandro. *Estado e forma política*. São Paulo: Boitempo, 2013.

MBEMBE, Achille. "Necropolitics". *Public Culture*, 2003, vol. 15, n. 1, p. 11-40.

MONBIOT, George. *How did we get into this mess?* Politics, equality, nature. Londres: Verso, 2016.

MONEDERO, Juan Carlos. *Curso urgente de política para gente decente*. Barcelona: Editora Seix Barral, 2014.

MONIZ BANDEIRA, Luiz Alberto. *A desordem mundial:* o espectro da total dominação. 3ª ed. Rio de Janeiro: Civilização Brasileira, 2017.

NEGRETTO, Gabriel L. *El problema de la emergencia en el sistema constitucional*. Buenos Aires: Editorial Ábaco, 1994.

NOVAES, Adauto (coord.). *Ética*. São Paulo: Companhia das Letras, 2007.

O'DONNELL, Guillermo. "Democracia delegativa?" *Novos Estudos*. São Paulo: Cebrap, n. 31, pp. 25-40, out. 1991, n. 31, p. 25-40.

PAYE, Jean-Claude. *La fin de l'État de droit:* la lutte antiterroriste, de l'état d'exception à la dictadure. Paris: La Dispute, 2004.

REFERÊNCIAS BIBLIOGRÁFICAS

PIKETTY, Thomas. *O capital no século XXI*. Rio de Janeiro: Intrínseca, 2014.

PINHEIRO, Paulo Sergio. "Estado e Terror". *In*: NOVAES, Adauto (coord.). *Ética*. São Paulo: Companhia das Letras, 2007.

SALGADO, Eneida Desirée. *Um diário do governo interino*. Curitiba: Íthala, 2016.

SANTOS, Milton. *Por uma outra globalização:* do pensamento único à consciência universal. 15ª ed. São Paulo: Record, 2008.

SAINT-BONNET, François. "L'état d'exception et la qualification juridique". *Cahiers de la recherche sur les droits fondamentaux*, 2008, n. 6, pp. 29-37.

SERRANO, Pedro Estevam Alves Pinto. *Autoritarismo e golpes na América Latina:* breve ensaio sobre jurisdição e exceção. São Paulo: Alameda, 2016.

SCHAUER, Frederick. "Exceptions". *The University of Chicago Law Review*, Chicago, vol. 58, n. 3, pp. 872-899.

SCHEUERMAN, William E. *Between the norm and the exception:* the Frankfurt School and the rule of law. The MIT Press: 1994.

SCHMITT, Carl. *Political theology:* four chapters on the concept of sovereignty. Chicago: University of Chicago Press, 2005.

SOUZA, Jessé. *A radiografia do golpe*. São Paulo: LeYa, 2016.

THÉODOROV, Spyros (coord.). *L'exception dans tous ses états*. Marselha: Éditions Parenthèses, 2007.

VALIM, Rafael. *O princípio da segurança jurídica no Direito Administrativo brasileiro*. São Paulo: Malheiros, 2010.

VALIM, Rafael; COLANTUONO, Pablo Ángel Gutiérrez. "O enfrentamento da corrupção nos limites do Estado de Direito". *In*: ZANIN MARTINS, Cristiano; ZANIN MARTINS, Valeska Teixeira; VALIM, Rafael (Coord.). *O Caso Lula*: a luta pela afirmação dos direitos fundamentais no Brasil. São Paulo: Editora Contracorrente, 2017.

VERGOTTINI, Giuseppe de. *Diritto costituzionale comparato*. 9ª ed. Padova: CEDAM, 2013.

VERMEULE, Adrian. "Our Schmittian Administrative Law". *Harvard Law Review*, vol. 122, 2009, pp. 1095-1149.

VILANOVA, Lourival. "Teoria jurídica da revolução (anotações à margem de Kelsen)". *In*: VILANOVA, Lourival. *Escritos jurídicos e filosóficos*, vol. 1. São Paulo: Axis Mundi, 2003.

ZAFFARONI, E. Raúl. *O inimigo no Direito Penal*. 2ª ed. Rio de Janeiro: Revan, 2007.

ZAFFARONI, E. Raúl. *El derecho latinoamericano en la fase superior del colonialismo*. Buenos Aires: Ediciones Madres de la Plaza de Mayo, 2016.

A Editora Contracorrente se preocupa com todos os detalhes de suas obras! Aos curiosos, informamos que esse livro foi impresso em março de 2020, em papel Polén soft, pela Gráfica Viena.